Méthode de français

Ludo et ses amis 3

Corinne Marchois
Michèle Albero

didier

Bienvenue dans le monde de Ludo et ses amis !

Tu vas continuer à apprendre le français avec Ludo, Léo et leurs amis Antoine,
Amélie, Norma et Nadir.
Tous vont t'accompagner dans la poursuite de ton apprentissage : tu vas raconter,
décrire, poser des questions, échanger et communiquer en français.
Avec eux, tu vas chanter, jouer, faire des enquêtes, lire des bandes dessinées
et des articles de journaux, faire du théâtre. Tu pourras aussi écrire des cartes
postales et des courriels.
Nos amis vont te donner envie d'aller encore plus loin et de continuer à
progresser… alors viens vite partager leurs aventures !

Dans ton livre et dans ton cahier, tu trouveras :

: Tu écoutes un enregistrement.

: Tu parles.

: Tu lis.

: Tu écris.

| la table |
| la chaise | : Tu te souviens des mots.
| l'armoire |

Amélie est dans la salle de bains.
Où sont les chats ? : Tu te souviens des phrases.

Atelier

**Tu utilises ce que tu as appris pour réaliser
le plan de la maison de tes rêves, une potion magique,
un livret de portraits-robots, etc.**

		Objectifs de communication	Structures et grammaire	Lexique	Phonétique	Connaissances culturelles	Atelier
Unité 1 p. 6		Savoir décrire une personne, un lieu, une situation météo Parler de soi, de ses goûts, de ses occupations Comprendre des instructions, en donner et savoir interagir Écrire un acrostiche	**Impératif singulier et pluriel dans les consignes de classe :** Exemples : Répétez s'il vous plaît ! Prenez vos cahiers ! Taisez-vous ! Écrivez la dictée ! Fermez les yeux ! Ouvrez-les ! Recopiez ! Découpez les papiers ! Venez au tableau ! **Localisation dans l'espace :** près de, à côté de, devant, derrière, sur, sous, dans **Questionnement direct :** Où est…? Où sont… ? Comment on dit ça en français ? **Négation simple :** Je ne sais pas. Je n'ai pas compris. Il/elle n'a pas de lunettes. Ne vous inquiétez pas !	**Le mobilier de la classe** (révisions) **Les fournitures scolaires :** la trousse, la gomme, le cahier, etc. (révisions) **Les nombres de 20 à 100** **Les mois de l'année**	L'opposition [u]/[y] L'opposition [ʃ]/[ʒ]	Échanges sociaux et relations avec les autres en milieu francophone	Cadavre exquis et arts plastiques
Unité 2 p. 10		Savoir se présenter : nom, âge, domicile, nationalité, membres de la famille, activités préférées Savoir répondre à une présentation Savoir donner une description physique détaillée Savoir dire ce qu'on fait dans une journée et à quelle heure Savoir dire l'heure exacte Renseigner un questionnaire à l'écrit	**Conjugaison des verbes pronominaux :** Exemples : Je me lève. Je me lave. Je m'habille. Je me couche/je vais me coucher. **Questionnement avec quel(s)/quelle(s) :** Exemples : Quel est ton nom ? Quelle est ta couleur préférée ? Quels sont vos sports préférés ? Quelles langues est-ce que tu parles ?	**Les actions quotidiennes :** Exemples : Je vais à l'école. Je fais mes devoirs. Je mange. Je vais me coucher. Je dors. **Les membres de la famille proche** **Les aliments de tous les jours ou de la cantine :** Exemples : tomates, melon, concombres, carottes, haricots verts, poulet, veau, poisson, riz, banane, fraises, mousse au chocolat, crème caramel.	Les différents sons du « e » accentué : [e]/[ɛ] L'opposition [v]/[f]	Les relations familiales Les repas Les tâches quotidiennes Les rythmes de vie	Potions magiques
Unité 3 p. 14		Savoir décrire son lieu d'habitation ; y localiser des éléments et des personnes Se situer dans un espace intérieur Exprimer une probabilité Écrit de type descriptif	**Localisation dans l'espace (suite) :** La cuisine est au rez-de-chaussée. Amélie est dans la salle de bains. Les chats sont dans le jardin. Dedans, dehors, ici, là-bas, en bas. Au 1ᵉʳ étage, il y a ma chambre. **Accord sujet/verbe :** Le cahier est ouvert sur le bureau. Les cahiers sont ouverts sur le bureau. **Systématisation de l'utilisation des pronoms compléments directs :** Exemples : – Tu as vu mon MP3 ? – Non, je ne l'ai pas vu. **Pronoms-adverbes en et y** **Probabilité :** Il est peut-être sur le canapé. Il est plutôt sur mon bureau.	**Les actions quotidiennes (suite) :** Exemples : faire un gâteau, faire ses devoirs, jouer, regarder la télé. **Les pièces de la maison ou de l'appartement :** la cuisine, le bureau, la chambre, le salon, la salle à manger, les toilettes, la salle de bains. Le grenier, le garage, le jardin. **Les meubles :** la table, la chaise, l'armoire, le canapé, le fauteuil, le bureau, le lit, la bibliothèque, la télévision, l'ordinateur, le réfrigérateur, la gazinière. **La caractérisation :** Exemples : agréable, confortable, douillet, superbe, magnifique, grand, gigantesque, minuscule, ensoleillé.	Les sons [wa]/[ɑ̃]/[ɔ̃]/[ɛ̃]	La maison et la disposition des pièces et du mobilier dans la maison	Faire le plan de la maison de ses rêves
Unité 4 p. 18		Savoir s'orienter et se repérer dans une ville ; y reconnaître certains bâtiments Demander son chemin Décrire son environnement Parler d'événements passés Répondre par écrit à un sondage	**Localisation dans l'espace (suite) :** entre, en face de, au coin de **Révision et systématisation de l'utilisation du pronom-adverbe y** **Conjugaison du verbe prendre** **Conjugaison des verbes de mouvement au présent**	**Les grands bâtiments d'une ville :** Exemples : la poste, la bibliothèque, le musée, l'hôpital, la mairie, la gare, le cinéma, la piscine, la cafétéria. **Les verbes de mouvement :** Exemples : sortir, rentrer, tourner, traverser, suivre, faire 10 mètres, passer.	L'opposition [ʀ]/[l]	Les lieux les plus importants d'une ville et les informations simples sur ce qu'on y fait Initiation à l'écologie	Comment fabriquer du papier recyclé
Unité 5 p. 22		**Évaluation** (contenu des unités 1 à 4)	**Livre élève :** production orale	**Cahier d'activités :** compréhension orale, compréhension et production écrites			

	Objectifs de communication	Structures et grammaire	Lexique	Phonétique	Connaissances culturelles	Atelier
Unité 6 p. 26	Se repérer et circuler dans un espace familier ou non Connaître les différents moyens de transport S'informer sur un emploi du temps Écrire une petite lettre d'invitation	**Aller à, aller en + moyen de transport** **Autres verbes de mouvement :** rentrer, revenir, voyager **Futur simple** **Exprimer l'heure qu'il est**	**Les moyens de transport :** Exemples : le train, l'avion, le bateau, le vélo, la voiture, le tram, le métro. **Aller à pied, marcher** **Prendre + moyen de transport**	L'opposition [z]/[s] Le son [o]	Présentation d'une ville française : La Rochelle Visiter une ville francophone : Bruxelles Apprendre à devenir un citoyen responsable	Des idées pour le monde de demain
Unité 7 p. 30	Savoir parler de son projet d'avenir Savoir caractériser de façon plus précise Décrire une tenue vestimentaire de manière détaillée Comprendre des descriptions et en rédiger	**Condition : si + présent, impératif :** Si tu aimes danser, claque des doigts. **Utilisation particulière du conditionnel présent :** Exemples : J'aimerais être pilote, infirmière. Je voudrais une tarte au citron.	**Les contraires et les formes au féminin :** Exemples : long(ue)/court(e) vieux, vieille/neuf, neuve chaud(e)/froid(e) triste/content(e) facile/difficile lent(e)/rapide bon(ne)/mauvais(e) assis(e)/debout ouvert(e)/fermé(e) clair(e)/foncé(e) **Les professions :** Exemples : le policier, l'infirmier/ l'infirmière, le boulanger/la boulangère, le professeur, le facteur/la factrice, le coiffeur/la coiffeuse, le vétérinaire, l'informaticien/l'informaticienne, le médecin, le pilote, le garagiste. **Les parties du corps :** le ventre, la jambe, le doigt, la main, le dos, la dent, la langue. **Les vêtements :** Exemples : le pull, la chemise, le pantalon, le jean, le T-shirt, la jupe, le manteau, l'anorak, les chaussures, les chaussettes, la casquette, le bonnet.	Les sons [k]/[g]/[i]	L'environnement professionnel et les métiers	Réaliser un livret de portraits-robots
Unité 8 p. 34	Savoir exprimer ce que l'on désire acheter, en demander le prix Dire et donner des informations sur soi Rédiger des réponses	**Questionnements :** Exemples : Vous désirez autre chose ? Il vous faut encore autre chose ? C'est tout ce qu'il vous faut ? Combien coûte(nt)… ? Combien ça coûte ? Cela fait combien ? Combien on vous doit ? – Quel est votre numéro de téléphone ? – C'est le 01 30 30 52 43. – Quelle est l'adresse mail de Sophie ? – Sophie.dunand@blancbleu.fr	**Les magasins :** la boulangerie, le magasin de fruits et légumes, la boucherie, la poissonnerie, le supermarché. **Les achats dans ces magasins :** Exemples : une baguette, un croissant, un pain au chocolat, des oranges, des pommes, des cerises, des prunes, des pommes de terre, un rôti, un steak, du thon, des sardines, des pâtes, du riz, du fromage, des œufs, de l'eau.	L'opposition [t]/[d] Les sons [m]/[n]	Les formes de politesse dans les relations sociales et commerciales	Fabriquer une boîte pour y mettre un petit cadeau
Unité 9 p. 38	Expliquer un fait, une action Justifier une réponse Donner et demander des conseils Faire des choix Rédiger une biographie	**Utilisation du futur simple, du passé composé et de l'imparfait :** Exemples : J'étais à l'entraînement, j'ai voulu sauter, je suis tombé… Tu vas rester combien de temps à l'hôpital ? Je ne sais pas mais j'espère que le médecin me laissera sortir bientôt. **Expression simple de la conséquence :** Exemples : – Pourquoi est-ce que tu portes un T-shirt rouge ? – Parce que j'aime bien cette couleur.	**Les sports :** Exemples : le volley, le judo, la voile, le ping-pong, le saut. **Révision des noms de sports connus** **Le corps humain (suite)** **Les personnels de santé :** le médecin, le vétérinaire, le dentiste.	L'opposition [p]/[b]	Connaître certains modes de vie et loisirs des adolescents Se maintenir en bonne santé Les jeux olympiques de la jeunesse	Biographie d'un sportif
Unité 10 p. 42	**Évaluation** (contenu des unités 6 à 9)	**Livre élève :** production orale	**Cahier d'activités :** compréhension orale, compréhension et production écrites			

Où est mon ballon ? Où sont les bonbons ?

1 *Écoute et chante !*

Les vacances sont finies
Il faut tout ranger dans le grenier
Un jouet par-là, un autre par-ci
Comment faire pour tout retrouver ?

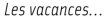

Où est mon ballon ?
Où sont les bonbons ?
S'il te plaît, dis-le-moi !
S'il te plaît, aide-moi !
Combien il y en a ?

Les vacances...

Où est ma poupée ?
Où sont les cahiers ?
S'il te plaît, dis-le-moi !
S'il te plaît, aide-moi !
Combien il y en a ?

Les vacances...

Où est ma guitare ?
Où sont les canards ?
S'il te plaît, dis-le-moi !
S'il te plaît, aide-moi !
Combien il y en a ?

Les vacances...

Où est mon vélo ?
Où sont les stylos ?
S'il te plaît, dis-le-moi !
S'il te plaît, aide-moi !
Combien il y en a ?

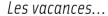

2 *Trouve l'objet !*

Qui est-ce ?

 3 *Écoute et trouve !*

Pierre   Enzo   Amin   Jules   Matt

Léa   Inès   Charlotte   Marion   Mathilde

Atelier

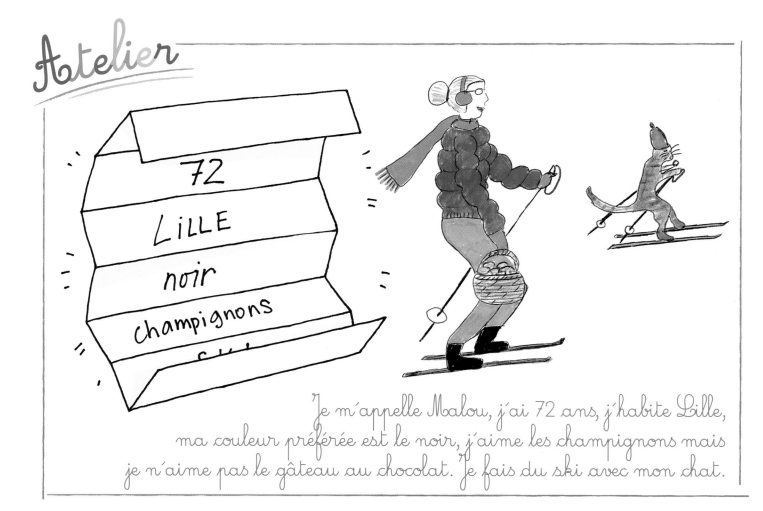

72
Lille
noir
champignons

Je m'appelle Malou, j'ai 72 ans, j'habite Lille, ma couleur préférée est le noir, j'aime les champignons mais je n'aime pas le gâteau au chocolat. Je fais du ski avec mon chat.

Kiwi a disparu

4 *Écoute, lis et joue la scène !*

Retrouve ton partenaire !

1 *À toi !*

Quel jour tu préfères manger à la cantine ?

 2 *Observe et dis !*

SEMAINE DU 7 AU 11 JUIN 2010			
	Lundi	**Mardi**	**Jeudi**	**Vendredi**
Entrée	tomates en salade	melon	salade de concombres	carottes râpées
Plat	poulet rôti	côte de veau	steak haché	poisson à la sauce tomate
Garniture	frites	haricots verts	salade de riz	spaghettis
Dessert	banane	mousse au chocolat	fraises	crème caramel

Atelier

La potion magique d'Antoine

Prendre un grand chaudron, y verser une boîte de bonne humeur, un grand verre de moutarde, une bouteille de sauce tomate sourire. Ajouter cinq bananes, deux pommes et trois mercis, une cuillère de poudre de soleil, un gros paquet de bonbons à la fraise. Laisser reposer. Ajouter ensuite un litre de lait et une pincée de sucre.

Prendre une cuillère de la potion matin et soir pour être toujours de bonne humeur !

La potion magique d'Amélie

Prendre un grand chaudron, y verser un litre de jus de pomme, un verre de jus de sourire et un sachet d'étoiles. Bien mélanger. Ajouter 100 grammes de pluie, une pincée de vent, et trois lunes au chocolat. Terminer en ajoutant une cuillère à café de poudre de soleil, le jus d'un citron et un nuage de lait. Prendre un verre de potion chaque soir avant de s'endormir pour faire de beaux rêves !

Le petit déjeuner

3 *Écoute, lis et joue la scène !*

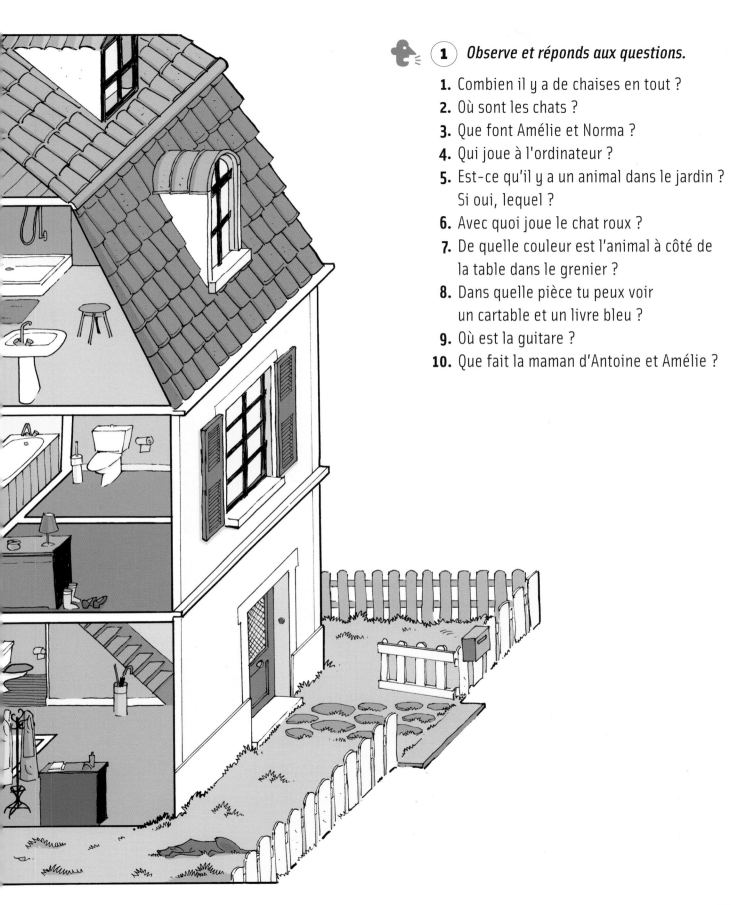

1 *Observe et réponds aux questions.*

1. Combien il y a de chaises en tout ?
2. Où sont les chats ?
3. Que font Amélie et Norma ?
4. Qui joue à l'ordinateur ?
5. Est-ce qu'il y a un animal dans le jardin ?
   Si oui, lequel ?
6. Avec quoi joue le chat roux ?
7. De quelle couleur est l'animal à côté de
   la table dans le grenier ?
8. Dans quelle pièce tu peux voir
   un cartable et un livre bleu ?
9. Où est la guitare ?
10. Que fait la maman d'Antoine et Amélie ?

Dans ma maison

2 *Écoute et chante !*

Voici ma maison
Dans la cuisine, je fais un gâteau
Dans le bureau, je fais mes devoirs
Dans la salle à manger, je mange
Dans le jardin, je joue
Dans la chambre, je dors
Dans la salle de bains, je me lave
Dans le salon, je regarde la télé
Et dans les toilettes, c'est un secret !

Atelier

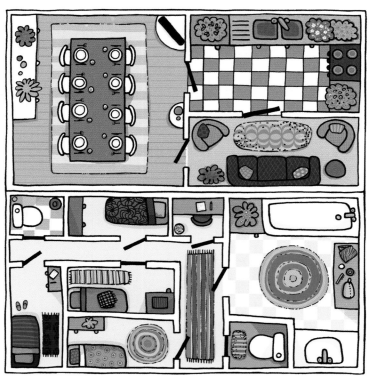

Dans la maison de mes rêves, il y a un rez-de-chaussée et un étage.
Au rez-de-chaussée, il y a une grande cuisine ensoleillée avec beaucoup de fleurs, un petit salon douillet avec un canapé et 2 fauteuils verts, à côté du canapé une petite table, et une immense salle à manger avec 8 chaises autour de la table.

À l'étage, il y a 4 chambres, une magnifique salle de bains avec une baignoire, 2 toilettes et un petit bureau.

Où est mon MP3 ?

3 *Écoute, lis et joue la scène !*

Antoine, où tu as mis mon MP3 ?

Je n'en sais rien ! Je n'y ai pas touché !

Si, tu l'avais hier, tu écoutais de la musique dans ta chambre.

Regarde sous mon lit, il y est peut-être !

Antoine, il n'y a rien sous ton lit.

Papa ! Tu as vu mon MP3 ?

Non, je ne l'ai pas vu. Il est peut-être sur le canapé dans le salon !

Non, il n'y a rien sur le canapé, je pense qu'il est plutôt sur mon bureau, à côté de mon ordinateur.

C'est toujours la même chose, tu ne ranges pas tes affaires !

Moi si, je range toujours mes affaires !

S'il n'est pas à côté de l'ordinateur, il est sur mon étagère à droite de la fenêtre.

Ça y est, je l'ai trouvé !

Tu me le prêtes ?

 1 *Observe et réponds aux questions.*

1. Combien de bâtiments ont un drapeau bleu-blanc-rouge ?
2. Quel grand bâtiment se trouve en haut à gauche de l'illustration ?
3. Combien il y a de personnes qui font du vélo ?
4. Quel mot il y a sur le grand bâtiment en bas à droite de l'illustration ?
5. Combien on voit de personnes au 1er étage de la cafétéria ?
6. Qu'est-ce qu'il y a à droite de la gare ?
7. Est-ce que les enfants sont en classe ?
8. Où est le taxi ?
9. Que fait la personne sur le banc devant la mairie ?
10. Quel bâtiment se trouve entre le cinéma et la gare ?

Dans ma ville

2 *Écoute et chante !*

Dans ma ville il y a
Une poste et trois cinémas
Une école dans chaque quartier
Avec tout plein d'écoliers

Dans ma ville vous avez
Une bibliothèque et deux musées
Une école dans chaque quartier
Avec tout plein d'écoliers

Dans ma ville vous pourrez voir
Un grand parking et quatre gares
Une école dans chaque quartier
Avec tout plein d'écoliers

Dans ma ville il y a
Une piscine et une cafétéria
Une école dans chaque quartier
Avec tout plein d'écoliers

Dans ma ville il y a aussi
Une petite église et une mairie
Une école dans chaque quartier
Avec tout plein d'écoliers

Et si un jour vous avez mal
Nous avons un hôpital

Atelier

Pour aider à préserver ma planète, j'apprends à fabriquer du papier recyclé !

Pour cela, il faut :
- un tamis fabriqué avec une moustiquaire en plastique ou en métal fin ;
- un grand récipient ;
- un fil et des épingles à linge ;
- beaucoup de vieux papiers.

Voilà la recette :

1 **On** déchire les vieux papiers, les journaux, les magazines en petits morceaux de 2 ou 3 cm².

2 **On** les dépose dans un grand récipient rempli d'eau chaude (il faut 4 litres d'eau pour 2 grandes feuilles de journal) et on laisse tremper pendant une nuit.

3 **Le** lendemain, on mélange et on malaxe avec ses mains pour obtenir une pâte comme de la pâte à tarte !

4 **On** met une couche assez fine de pâte sur le tamis.
On peut ajouter dans la pâte des petites fleurs ou des feuilles.

5 **On** laisse sécher une semaine environ et on enlève doucement la feuille du tamis.

6 **On** pend la feuille pour la faire sécher des deux côtés.

Et voilà, c'est simple n'est-ce pas ?
Bon courage !

En route pour la piscine !

3 *Écoute, lis et joue la scène !*

J'observe et je dis...

 1 *Dis le plus de choses possible sur cette illustration !*
Tu peux t'aider des questions sous l'illustration.

1. Il y a combien d'enfants ?

2. Où est le chat noir ?

3. Que font les trois enfants devant le cinéma ?

4. Où se trouve la cafétéria ?

5. Qu'est-ce qu'on vend dans le magasin entre le cinéma et la cafétéria ?

6. Il y a combien d'étages à la boulangerie ?

7. Que fait l'homme en bas à gauche de l'illustration ?

8. Combien il y a d'animaux ? Lesquels ?

J'observe et je dis...

 2 *Dis ce qui est bizarre dans cette illustration !*

J'observe et je dis...

3 *Imagine le dialogue !*

Il y a...
Il est peut-être...
Il n'y a rien...

Jeu de l'oie

4 *Joue avec tes camarades !*

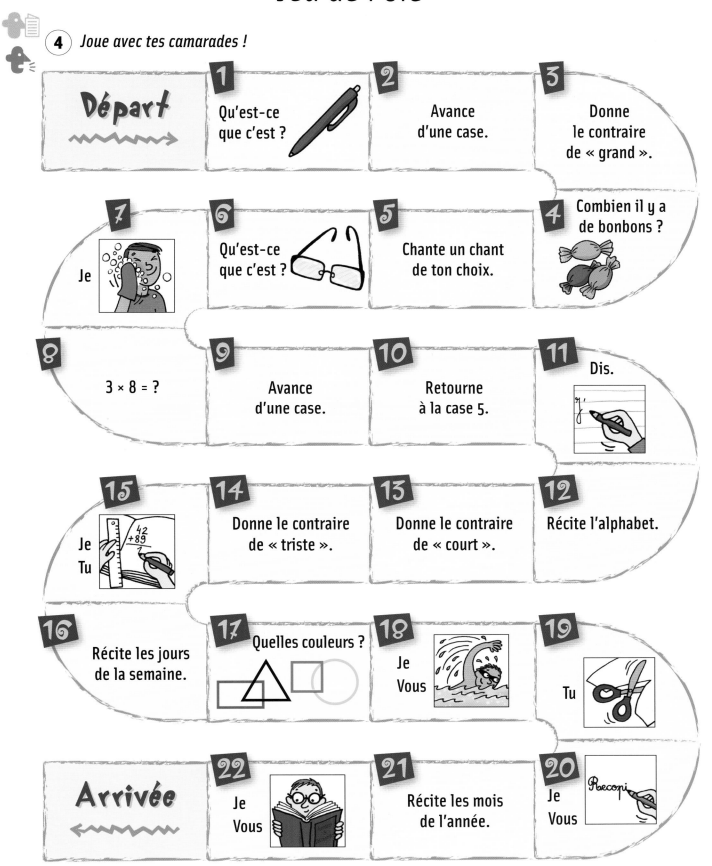

Mais qu'est-ce qu'ils font ?

1 *Écoute et chante !*

Quentin prend le train
Marion prend l'avion
Enzo prend le bateau

Et Gaston ?
Il reste à la maison
Avec son ami Léon !

Marius prend le bus
Bruno prend le métro
Myriam prend le tram

Et Gaston ?
Il reste à la maison
Avec son ami Léon !

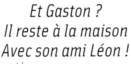

Léo va à vélo
Arthur va en voiture
Olivier va à pied

Et Gaston ?
Il reste à la maison
Avec son ami Léon !

Et toi tu prends quoi ?
Le vélo ? Pourquoi ?
Allez on y va !

Il est quelle heure dans ta ville ?

2 *Écoute l'heure et indique la ville !*

MEXICO   PARIS   NEW YORK   RABAT   MOSCOU

Une visite au zoo parc

(3) *Lis et réponds aux questions !*

Le **zoo parc des Roses** se trouve à côté des châteaux de la Loire, près du château de Chenonceau. C'est un des plus extraordinaires zoos d'Europe.
Il est ouvert toute la semaine de 9 heures du matin à 7 heures du soir. Vous pouvez voir toutes sortes d'animaux, et le repas des lions ou des tigres.

Vous pouvez également vous promener dans tout le parc et apercevoir des ours, des éléphants, etc. Enfin, si vous avez faim, vous pouvez vous arrêter dans un de nos restaurants, il y en a cinq !
Nous vous conseillons nos crêpes à la confiture !
Nous sommes prêts à vous accueillir.

À bientôt !

1. Quel est le nom du château près du zoo parc ?

2. Quels animaux on peut voir en train de manger ?

3. Est-ce qu'on peut manger dans le parc ?

4. Est-ce que tu trouves que c'est une bonne idée de mettre les animaux dans un zoo ?

Atelier

Des idées pour le monde de demain

Tu as entre 7 et 10 ans ?
Tu aimes travailler en groupe ?
Tu as plein d'idées pour protéger la nature,
Mais aussi pour rendre ta ville plus agréable ?
Tu veux faire partager tes idées ?

Alors c'est très simple :
Tu réunis trois ou quatre camarades,
vous faites une liste de vos idées,
vous cherchez des illustrations,
et tous ensemble,
vous écrivez votre article
sur une grande feuille de papier.
N'oubliez pas de coller les illustrations !
Vous envoyez le tout à notre journal
et nous le publions.

Bon travail !

En route pour l'aventure !

4 *Écoute, lis et joue la scène !*

Qu'est-ce que tu veux faire plus tard ?

1 *À toi !*

2 *Écoute et chante !*

Si tu aimes danser, frappe des mains (clap, clap) (bis)
Si tu aimes danser, et aussi chanter
Si tu aimes danser, frappe des mains (clap, clap)

Si tu aimes danser, tape des pieds (tap, tap) (bis)
[…]

Si tu aimes danser, claque des doigts (clac, clac) (bis)
[…]

Si tu aimes danser, bouge le ventre (zip zap) (bis)
[…]

Si tu aimes danser, lève les bras (oh, la) (bis)
[…]

Si tu aimes danser, fais tout ça (clap, clap, tap, tap, clac, clac, zip, zap, oh, la, oh, la) (bis)
[…]

Ma famille à mon anniversaire

(3) *Devine qui est qui !*

Ici c'est ma tante. Elle porte un joli T-shirt vert et une jupe violette. Ses chaussures aussi sont violettes !

Atelier

AVIS DE RECHERCHE

Une jeune femme aux cheveux longs, blonds, les yeux verts, un petit nez et une grande bouche. Si vous la voyez, appelez le 333.

Le sac du week-end

4 *Écoute, lis et joue la scène !*

Bonjour boulangère !

1 *Écoute et chante !*

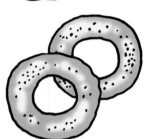

Bonjour boulangère,
Qu'est-ce que vous voulez ma chère ?
On m'a dit que vous vendez
Des croissants et des beignets.
Trois euros la paire,
C'est vraiment pas cher !
J'en prends deux ça fait combien ?
Trois euros c'est deux fois rien !
Au revoir et à demain !

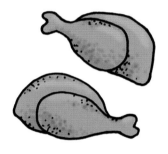

Bonjour ma bouchère,
Qu'est-ce que vous voulez ma chère ?
On m'a dit que vous vendez
Des rôtis et des poulets.
Quinze euros la paire,
C'est vraiment pas cher !
J'en prends deux ça fait combien ?
Quinze euros c'est deux fois rien !
Au revoir et à demain !

Bonjour poissonnière,
Qu'est-ce que vous voulez ma chère ?
On m'a dit que vous vendez
Des sardines et des brochets.
Quatre euros la paire,
C'est vraiment pas cher !
J'en prends deux ça fait combien ?
Quatre euros c'est deux fois rien !
Au revoir et à demain !

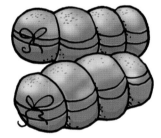

Qu'est-ce que je peux acheter avec 15 euros ?

2 *Observe et annonce !*

raquettes de ping-pong
légères et maniables
pour joueurs débutants
9 €

lunettes de soleil
filtre anti-UV
12 €

feutre fluo
pointe large
couleur au choix
2 €

mini-peluche
pour enfant
de plus de 10 mois
lavable en machine
9 €

ballon de football
édition spéciale
coupe du Monde
2010
tout cuir
15 €

superbe montre de sport
chronomètre
étanche à l'eau
75 €

Atelier

- Choisis une jolie feuille
  de papier cartonné.
  Tu peux aussi la décorer toi-même.
- Dessine le patron de la boîte
  (demande-le à ton professeur).
- Découpe le long des pointillés.
- Plie le long des traits.
- Colle les languettes à l'intérieur de la boîte.
- Ferme la boîte.
- Tu peux y mettre un petit cadeau, des chocolats ou des bonbons !

Un cadeau pour mon ami

3 *Écoute, lis et joue la scène !*

Bonjour, je cherche une idée de cadeau pour mon ami.

Quel âge a votre ami ?

10 ans.

Je pense qu'il aimera ce joli livre avec des photos vues du ciel.

Combien il coûte ?

55 euros.

Oh, c'est trop cher pour moi ! Je ne peux pas l'acheter.

Regardez, celui-ci est aussi très intéressant, et moins cher. Il ne coûte que 28 euros.

Super !

Je fais un paquet-cadeau ?

Oui.

Maintenant, il faut chercher un cadeau pour Sophie. Est-ce que je peux appeler son amie Léa pour avoir une idée ?

Oh, je n'ai pas son numéro de téléphone !

Tenez, cherchez-le dans l'annuaire téléphonique !

Merci, je suis sauvé !

Informons-nous !

(1) *Lis et prépare tes questions !*

PALAIS DES SPORTS DE LYON

Rencontres intersports et cultures

Du samedi 20 au samedi 26 juin 2010

Volley, basket, tennis, vélo, et aussi films et chansons !

Entrée 5 €
Gratuit pour les scolaires jusqu'à 16 ans

Des animations de 9 h à 21 h tous les jours

Conseils pour toi qui n'aimes pas le sport

(2) *Lis et dis ce que tu choisirais de faire dans cette liste !*

Tu n'es pas très sportif/sportive ?
Alors voilà quelques idées pour bouger !

Tu peux :
– monter les escaliers
– aller à l'école à pied ou à vélo
– te promener avec les copains
– courir avec ton chien
– porter et ranger les courses
– laver les vitres de ta chambre
– aider tes parents dans le jardin

Ou encore :
– danser en musique
– faire du théâtre
– …

Les jeunes et les loisirs

(3) *Lis et prépare tes questions !*

Aujourd'hui, tous les jeunes entre 8 et 15 ans vous le diront : leurs loisirs préférés sont la télévision, Internet et les jeux vidéo.

En Europe, les enfants entre 3 et 16 ans passent en moyenne 117 minutes par jour devant la télévision et environ une heure devant l'ordinateur.

Mais les jeunes font aussi beaucoup de sport : il est obligatoire à l'école dans tous les pays de l'Union européenne parce qu'il est très bon pour leur santé.

Si vous bougez, vous êtes en meilleure santé ! Le sport permet de grandir, de ne pas grossir, de bien respirer et donc d'être en pleine forme… pour bien étudier !

Atelier

Le livre d'or des sportifs

Joakim Simon Noah est né le 25 février 1985 à New York. Il est le fils de Yannick Noah (champion de tennis français et chanteur) et de Cecilia Rhode (ancien mannequin suédois).

Son grand-père, Zacharie Noah, était joueur de football professionnel.

Joakim a trois nationalités : américaine, suédoise et française. Il est très grand : il mesure 2,11 mètres !

Il vit en Floride où il fait des études supérieures. Excellent joueur, il a commencé à être célèbre dans les années 2005-2006.

Il joue d'abord avec l'équipe de basket de son université (les Gators) et il est double champion NCAA (National Collegiate Athletic Association). Pendant un match, il est toujours placé au poste de pivot ou d'ailier.

Ensuite, il participe à la sélection de la NBA (National Basketball Association) et joue avec les Chicago Bulls. Il continue à faire des progrès et, fin 2009, il devient le meilleur « rebondeur » de la NBA.

Graine de champion

4 *Écoute, lis et joue la scène !*

Jeu de rôle

 (1) *Choisis l'illustration que tu préfères et joue la scène avec un(e) camarade !*
Tu peux t'aider des questions en bas de page.

1. Où se trouvent les personnages ?

2. Qu'est-ce que les personnages peuvent faire ?

3. Qu'est-ce que les personnages peuvent acheter ?

À toi maintenant :

4. Où tu aimerais être ? Pourquoi ?

5. Qu'est-ce que tu y ferais ?

J'observe et je dis...

2 *Imagine le dialogue !*

On va être en retard !
Tu as un problème ?
Qu'est-ce qui s'est passé ?

Je choisis mon identité

Mango	**Tango**	**Solo**	**Léo**	**Mado**	**Pipo**	**Zorro**	**Momo**

Suisse	France	Belgique	Maroc	Mexique	Espagne	Italie	Portugal
7	9	11	15	17	25	21	12
Léa	**Evan**	**Pablo**	**Maria**	**Sofiane**	**Lucile**	**Margot**	**Louis**

Jeu de l'oie

4 *Joue avec tes camarades !*

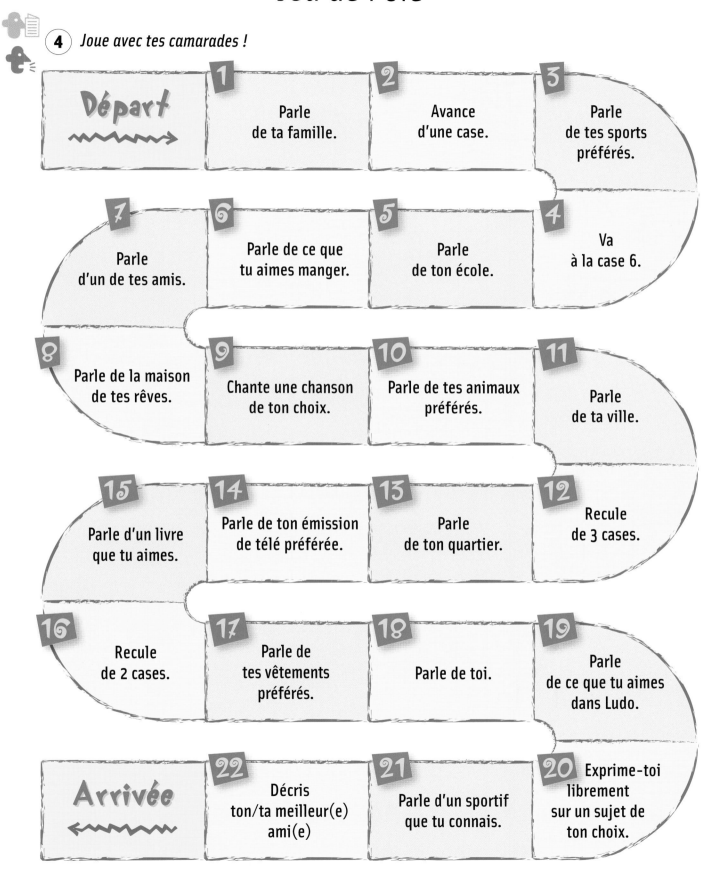

Départ

1 Parle de ta famille.

2 Avance d'une case.

3 Parle de tes sports préférés.

4 Va à la case 6.

5 Parle de ton école.

6 Parle de ce que tu aimes manger.

7 Parle d'un de tes amis.

8 Parle de la maison de tes rêves.

9 Chante une chanson de ton choix.

10 Parle de tes animaux préférés.

11 Parle de ta ville.

12 Recule de 3 cases.

13 Parle de ton quartier.

14 Parle de ton émission de télé préférée.

15 Parle d'un livre que tu aimes.

16 Recule de 2 cases.

17 Parle de tes vêtements préférés.

18 Parle de toi.

19 Parle de ce que tu aimes dans Ludo.

20 Exprime-toi librement sur un sujet de ton choix.

21 Parle d'un sportif que tu connais.

22 Décris ton/ta meilleur(e) ami(e)

Arrivée

La carte d'identité de la France

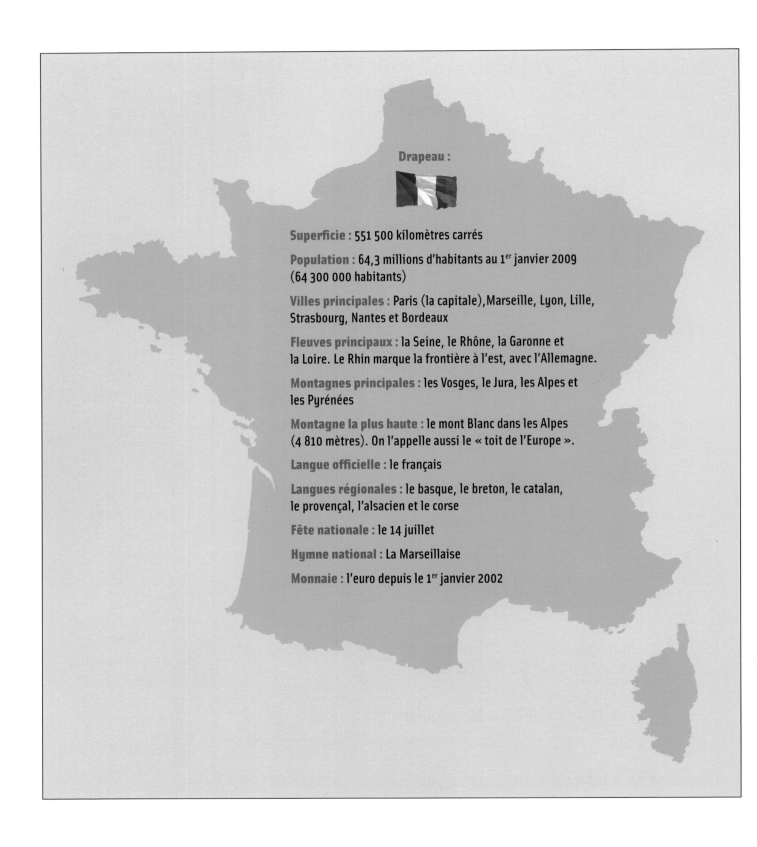

Drapeau :

Superficie : 551 500 kilomètres carrés

Population : 64,3 millions d'habitants au 1er janvier 2009
(64 300 000 habitants)

Villes principales : Paris (la capitale), Marseille, Lyon, Lille,
Strasbourg, Nantes et Bordeaux

Fleuves principaux : la Seine, le Rhône, la Garonne et
la Loire. Le Rhin marque la frontière à l'est, avec l'Allemagne.

Montagnes principales : les Vosges, le Jura, les Alpes et
les Pyrénées

Montagne la plus haute : le mont Blanc dans les Alpes
(4 810 mètres). On l'appelle aussi le « toit de l'Europe ».

Langue officielle : le français

Langues régionales : le basque, le breton, le catalan,
le provençal, l'alsacien et le corse

Fête nationale : le 14 juillet

Hymne national : La Marseillaise

Monnaie : l'euro depuis le 1er janvier 2002

La France et ses voisins francophones

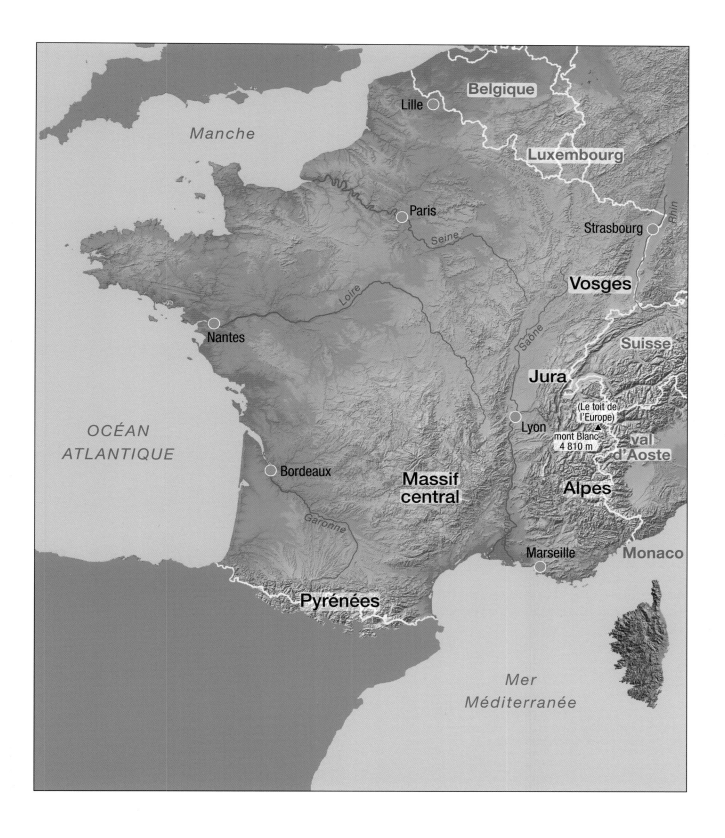

Belgique

Lille

Manche

Luxembourg

Paris

Seine

Strasbourg

Rhin

Vosges

Loire

Nantes

Saône

Suisse

Jura

(Le toit de l'Europe)

Lyon

mont Blanc
4 810 m

val
d'Aoste

OCÉAN
ATLANTIQUE

Bordeaux

Massif
central

Alpes

Garonne

Marseille

Monaco

Pyrénées

Mer
Méditerranée

Crédits photographiques

Couv plat 2	bd	pat31 - Fotolia.com
Couv plat 2	bg	Fred Thomas/Hoa-Qui/Eyedea
Couv plat 2	hd	Antony Royer - Fotolia.com
Couv plat 2	hg	Jean Daniel Sudres/hemis.fr
p. 20	bd	Jérôme Pallé
p. 26	hd	Win Van Cappelen/reporters-Réa
p. 26	bd	Michael Buselle/Corbis
p. 26	bg	Sergio Pitamitz/Corbis
p. 26	hg	Jock Fistick/Reporters-Réa
p. 28	hg	Guillaume Aubrat - Fotolia.com
p. 28	bg	Sally and Richard Greenhill/Alamy Images
p. 35	bg	Directphoto.org/Alamy Images
p. 35	hg	Spargel - Fotolia.com
p. 36	bd	Stas Perov - Fotolia.com
p. 36	bg	Lionel Valenti - Fotolia.com
p. 36	hd	Gregory Cedenot - Fotolia.com
p. 36	hg	Marc Dietrich - Fotolia.com
p. 36	hm	Unclesam - Fotolia.com
p. 36		Corinne Marchois
p. 40	bd	Emile Pol/Sipa
p. 40	hg	Pierre Jacques/hemis.fr
p. 44		GRAPHI-OGRE/GéoAtlas
p. 46		GRAPHI-OGRE/GéoAtlas

Nous avons recherché en vain les auteurs ou les ayants droit de certains documents reproduits dans ce livre. Leurs droits sont réservés aux Éditions Didier.

Illustrations :

Couverture :
Pasto et Laurence Croix pour la couleur

Intérieur :
Lionel Buchet
Johanna Crainmark
Pasto et Laurence Croix pour la couleur
Bernard Sullerot (cartes)

Conception et direction artistique (hors photographies) : Christian Dubuis-Santini © Agence Mercure
Aménagement de la maquette de principe, mise en page et photogravure : SG Production
Édition : Pascale Spitz

© Les Éditions Didier, Paris 2010 – ISBN 978-2-278-06402-1 – Dépôt légal : 6402/01
Achevé d'imprimer en janvier 2010 par l'imprimerie Clerc